Questo libro è di

....

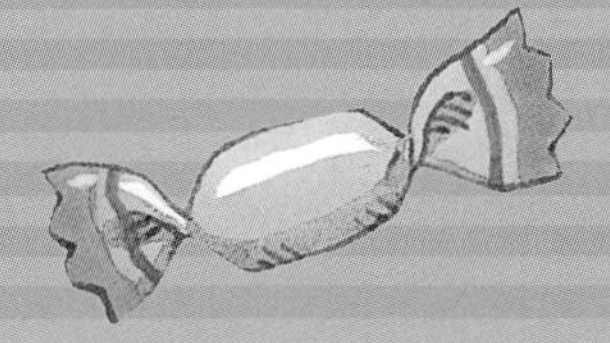

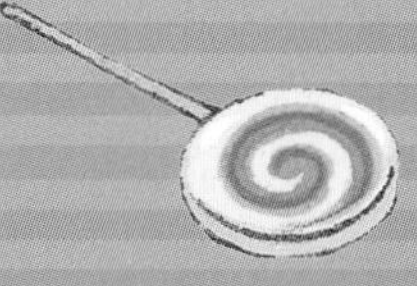

Testi e illustrazioni sono tratti dai seguenti volumi:
- *Bosco Magico*, 2004, Dami Editore
- *Piccolo Coniglio nella Valle delle Carote*, 2009, Dami Editore
- *I racconti delle stelle*, 2009, Dami Editore
- *I racconti della luna*, 2010, Dami Editore
- *Fate e Folletti*, 2011, Dami Editore

Adattamento dei testi originali: Barbara Gentile
Illustrazioni: Tony Wolf; Margherita Habe
Progetto grafico: Romina Ferrari
Impaginazione: Lisa Amerighi

www.giunti.it

Via Bolognese, 165 - 50139 Firenze - Italia
Piazza Virgilio, 4 - 20123 Milano - Italia
Prima edizione: settembre 2019

Stampato presso Lito Terrazzi srl, stabilimento di Iolo

STORIE DELLA GENTILEZZA

DAMI EDITORE

La tisana del "Dolce Sonno"

Pippolino è un topo salterino.
È simpatico, allegro e molto vivace, infatti non sta mai fermo! Saltella di qua e di là, corre a perdifiato, si arrampica, e spesso combina guai o si caccia nei pasticci.
Insomma, lo avrete capito, è un vero terremoto!
Oh, attento, Pippolino, non tirare la tovaglia! Non saltare sopra al letto, non correre in classe!
Ogni giorno gli stessi guai e le stesse prediche, ma Pippolino è davvero un topino incorreggibile.
La maestra a scuola non sa più come fare con il suo alunno,

perché Pippolino è un topino sveglio ma anche in classe si muove in continuazione, chiacchiera e si agita, disturbando le lezioni e i suoi compagni. E poi, come si fa a imparare qualcosa se si salta per tutto il tempo sopra i banchi?
Così, un giorno, la maestra Coniglia convoca i suoi genitori: "Bisogna fare qualcosa, Pippolino è troppo irrequieto e se continua così non imparerà niente e diventerà un topino svogliato e pigro!".

Su consiglio della maestra,
i genitori di Pippolino
decidono, allora,
di chiedere aiuto
al famoso Mago
Tasso, il più
sapiente e
ingegnoso
incantatore
del Bosco
Magico.
Forse lui
avrà una
soluzione…
"Signor
Mago, può aiutarci a calmare il nostro monello?"
lo supplicano papà e mamma.
"Mmm, proverò con una pozione!" risponde il mago
guardando dubbioso Pippolino mentre si scatena in giardino.
"Forse nel mio laboratorio ho gli ingredienti adatti! Chissà
se funzionerà… Mi sembra un caso molto difficile!"
Infatti, come il saggio mago temeva, la sua pozione non ha
avuto un grande effetto.

"Lo guardi, signor Mago!" si dispera la mamma. "È anche peggio del solito! Come faremo a metterlo a nanna?"
Mago Tasso è così dispiaciuto per i due topolini genitori, vuole davvero fare qualcosa per aiutarli e per permettere a Pippolino di addormentarsi serenamente e riposarsi dopo tante scorribande.
Inizia a sfogliare i suoi libroni di incantesimi e pozioni, ma senza risultato: "Be', quando non funziona la magia" dice infine sorridendo Mago Tasso "resta solo questa ricetta...".

Con frutta e fiori coltivati con amore, maturati dal sole, raccolti dagli amici e cucinati dalla mamma… preparare una tisana e servirla con un bacino!

Tutto il bosco si mobilita, perché tutti vogliono essere di aiuto alla famiglia di Pippolino. C'è chi scava per trovare radici medicamentose e chi raccoglie bacche saporite, chi coglie fiori profumati e chi sistema frutti succosi nel suo cestino. Perfino il Piccolo Ghiro si è unito alla ricerca degli ingredienti, ha abbandonato il suo lettino e si è arrampicato

sul ciliegio più alto
per prendere le
ciliegie mature.
Adesso tocca alla
mamma di Pippolino
preparare la tisana del
'Dolce Sonno' da servire
al suo agitatissimo cucciolo.

Ha sistemato tutti gli ingredienti raccolti dagli amici sul
tavolo della cucina e si appresta a preparare la pozione
'miracolosa'.
"Vediamo, due foglie di melassa, quattro fiori di camomilla,
le ciliegie più dolci... e poi metto tutto quanto sul fuoco!"
La tisana è calda e dolce ed emana un profumo delizioso.
All'ora di cena Pippolino rientra a casa, scatenato più del
solito.
"Forza, Pippolino, vatti a lavare le zampine e poi di corsa a
tavola!" lo incalza la mamma. "Stasera ci sono tante cose
buone da mangiare e anche una sorpresa!"
"Che bello!" grida Pippolino e si precipita in bagno.
Dopo aver ripulito il suo piattino, ecco che la mamma
gli presenta un bel biberon, pieno di un liquido colorato.
"Mmm... Che cos'è?"

La mamma dà un bacino al suo Pippolino: "È una pozione magica, vedrai che bei sogni farai!". 
Pippolino beve tutto d'un fiato e fa un lungo sbadiglio... e ora guardatelo, come dorme sereno!
Da quella sera le cose nella famiglia dei topi salterini sono davvero cambiate: Pippolino dorme ed è molto più ubbidiente e tranquillo. Mamma e papà non riescono ancora a crederci e una sera decidono di invitare, per una bella cenetta, tutti i loro amici insieme a Mago Tasso.
"Vi ringraziamo dal profondo del cuore, se non fosse stato per il vostro affetto e la vostra gentilezza, non avremmo saputo cosa fare, ma adesso festeggiamo!"
Tutti mangiano e chiacchierano allegramente... e Pippolino, vi domanderete, che fine ha fatto?
Shhh, lui dorme tranquillo nel suo lettino.

Il guardiano del Bosco

Come ogni sera, Scoiattolino aveva preso i suoi pupazzi di pezza e si era infilato nel lettino.
Come ogni sera, la lucciola era volata sul suo comodino per leggergli una fiaba.
"Che bella storia" esclamò Scoiattolino sbadigliando e subito si addormentò.

Stava sognando viaggi straordinari e grandi avventure, quando il richiamo del Gufo lo svegliò di soprassalto.
"Scusa, Scoiattolino!" gli disse il vecchio amico. "Ho bisogno del tuo aiuto! Potresti, questa notte, prendere il mio posto per qualche ora, a guardia del bosco? Ho una commissione da fare, ma tornerò presto!"
Con gli occhi ancora pieni di sonno, Scoiattolino rispose: "Ma certo, ti aiuterò! Parti pure tranquillo, con

me il bosco sarà al sicuro". Si stropicciò gli occhietti, saltò fuori dal letto e si mise a vegliare davanti alla stufa, ascoltando attento i più piccoli rumori. Intanto guardava fuori il cielo stellato, lassù, sopra il Bosco Magico.
"Guarda, Teddy" disse al suo pupazzetto. "Quello è il Grande Carro e quella è Cassiopea, me l'ha insegnato il Gufo... Sono bravo, vero?"
Scoiattolino e il Gufo erano grandissimi amici e spesso se ne stavano insieme, a scrutare il cielo notturno.
Per questo il piccolo scoiattolo conosceva ogni stella

del firmamento e tante tante storie che il Gufo era solito raccontargli durante le sue veglie notturne. Gufo, infatti, era il guardiano del Bosco Magico, vegliava sui suoi abitanti e li avvertiva in caso di pericolo.
Scoiattolino aveva preso un impegno importante, ora che il suo amico era lontano e non voleva certo deluderlo.
A un tratto il cielo fu illuminato da una strana scia.
Scoiattolino la indicò a Teddy: "E quella cos'è? Accipicchia, una stella cadente ed è caduta proprio sul bosco!".
Scoiattolino si affacciò al suo tronco gridando: "Aiuto, Aiuto! Pericolo, una stella è caduta sul bosco! Al fuoco!

Sveglia! Scappate tutti! Aiutooo!!!".
Qua e là, per il Bosco Magico, si accesero delle luci.
Il primo ad affacciarsi alla finestra per via del baccano fu, strano a dirsi, il Ghiro. "Cosa sta succedendo?"chiese, senza svegliarsi del tutto. "Sono tornati quei dispettosi folletti?"
Dovete sapere che il Piccolo Ghiro era spesso oggetto di burle da parte dei folletti del bosco. Non vedendo niente di strano, tornò al suo lettino e immediatamente si riaddormentò.
"Fuoco? Dov'è il fuoco?" domandò scettico il Castoro.
"Bah! Io non vedo proprio niente e non sento neanche puzza di fumo!"
"Silenzio! Tornate a dormire!" protestò infine il Tasso.
Ma ormai, affacciati alle finestre, c'erano decine di musetti preoccupati e arrabbiati.
"Davvero il bosco sta andando a fuoco?" gridava qualcuno.
"È tutto tranquillo, non si sente niente, chi si diverte a fare sciocchi scherzi nel cuore della notte?" faceva eco qualcun altro.

Scoiattolino era avvilito, lui voleva solo essere di aiuto e, invece, era riuscito a far arrabbiare tutti quanti gli animali del bosco.
"Scoiattolino, sei stato tu?" lo incalzò il Castoro con in mano la sua lanterna.
"Ti sembra uno scherzo divertente?" si intromise il Tasso.
In quel mentre il Gufo planò sulla radura: "Cosa avete da urlare tutti quanti? Dovreste ringraziare Scoiattolino invece di rimproverarlo! È stato così gentile da prendere il mio posto di guardia notturna e voleva solo rendersi utile e permettervi di fare sonni tranquilli! Forse ha sbagliato, ma lo ha fatto per proteggervi, tutti quanti!"
Il Castoro e la Puzzola abbassarono lo sguardo: "Gufo, hai ragione. Ci dispiace tanto, Scoiattolino, grazie per il tuo aiuto!".
Piano piano gli animali rientrarono nelle loro casette e il bosco tornò quieto e sereno.
Scoiattolino, però, era ancora in ansia, aveva visto davvero una stellina cadere…
"Non ti preoccupare, piccino!"

lo calmò il Gufo prendendolo sotto la sua ala. "Devi sapre che le stelle cadenti non possono bruciare il bosco, perché non cadono davvero, ma si accendono e si spengono in cielo! Ma tu sei stato bravo a dare l'allarme! Adesso puoi tornare a nanna".
E dopo aver abbracciato il suo piccolo, coraggioso amico, il Gufo volò sul ramo più alto del Bosco Magico.

Il folletto bignè

C'era una volta un folletto
che viveva nella dispensa
di Marmotta Pasticciera.
Si chiamava Bignè ed era molto
goloso: passava tutte le notti a pulire,
lavare e riordinare stoviglie in cambio
di un dolcetto e di un po' di latte.
Ogni sera, dopo aver preparato torte e
biscotti, Marmotta metteva sul davanzale un dolcetto
e un ditale colmo di latte per Bignè e se ne andava a letto.
Allora il folletto usciva dal suo nascondiglio e voilà!
Tirava a lucido la cucina per poi gustarsi il suo premio.
Un giorno Marmotta volle fare un esperimento e inventò
la Crema Magicoccola. La assaggiò e mmm… era
buonissima! Stanca e soddisfatta, a mezzanotte, mise una
ciotolina di crema sul davanzale e se ne andò a dormire.
Il folletto uscì, riordinò, spazzò e lavò, poi assaggiò la
crema. "Oh, deliziosa!" esclamò Bignè. In un baleno
la mangiò tutta e con il pancino pieno corse in camera
di Marmotta e cominciò a tirarle le coperte gridando:
"Ancora! Ancora!".
La pasticciera finse di dormire, perché tutti nel bosco

sanno che se dai troppo cibo a un folletto quello scappa e non lo vedi più! Bignè però non si arrese e continuò a farle dispetti. Le saltellava sul letto, le tirava il naso, sbatteva le ante dell'armadio. Disperata, Marmotta corse in cucina e preparò un'altra ciotola di Magicoccola per Bignè. "Ancora! Ancora!" esclamò il folletto dopo essersi leccato fino all'ultimo ditino.

Basta! Voglio dormire e dormirai
anche tu!" gridò Marmotta.
Poi prese un grosso barattolo
di vetro e intrappolò il folletto.
Bignè allora cominciò a correre
da una parte all'altra del
barattolo per rovesciarlo
e alla fine… Tonf!
Marmotta si svegliò
di soprassalto.
Bignè, uscito dal barattolo,
ricominciò a saltare e a strillare:
"Magicoccola! Voglio ancora Magicoccola!".
Marmotta non lo sopportava più: si alzò, andò in cucina
e gli diede una ciotolina di crema.
"Meglio non vederti più e lavarmi
i piatti da sola, piuttosto che
dover sopportare questo strazio
tutte le notti" borbottò e tornò
sotto le coperte.
Ma Bignè non sparì…
Al contrario!
Dal mattino dopo cominciò

ad aiutare Marmotta anche di giorno, assaggiando tutto quello che gli capitava.
Bignè diventò così un dolcissimo folletto. Era dolce come un gelato, un budino alla vaniglia o una fetta di torta.
Un giorno Scoiattolo Postino arrivò trafelato con una strana busta dorata. Marmotta la aprì e lesse:

Marmotta Pasticciera è invitata al concorso
per la torta più buona di tutti i boschi.
La gara si terrà domani nella Radura delle Fragole Blu.

Per nulla al mondo Bignè si sarebbe perso quel concorso e tanto disse e tanto fece che Marmotta chiuse bottega e i due partirono.

Nella Radura delle Fragole Blu tutti i pasticcieri erano già pronti e all'arrivo di Marmotta, Ranocchio gracidò il via. La gara ebbe inizio e in men che non si dica il bosco fu avvolto da un irresistibile profumo di caramello, cioccolato, miele e zucchero filato.
Bignè correva senza sosta da un tavolo all'altro per assaggiare questo e quello fino a quando… Tonf! Stramazzò a terra e rimase immobile come un sasso.
Tutti si spaventarono. Il dottor Tasso accorse e gli diede qualche schiaffetto per farlo rinvenire, poi lo visitò.
"Bignè, dì trentatré".
"Crème caramel al caffè!" rispose il folletto.
"Mmm…" bofonchiò Tasso. "Ti fa male la pancia?"
"Panna cotta all'arancia!" fu la risposta.
"Già… già…" sospirò il dottore. "Segui il mio dito".

"Mirtillo candito!" ribatté il folletto.
"Bene, mio caro Bignè, ho capito tutto. Sei molto grave, ma fortunatamente c'è una cura: dieta!"
"Dieta?" chiese Bignè e stava per ficcarsi un cioccolatino in bocca quando il dottore lo fermò.
"Ho detto che devi stare a dieta, capito? Dieta vuol dire che non devi più mangiare dolci: niente torte, niente pasticcini, niente cioccolatini, niente biscotti, niente di niente. Hai capito adesso?"

Sì, era chiaro, molto chiaro, ma era una terribile tortura! Per dieci minuti Bignè non mangiò nulla, poi si avvicinò timidamente a Marmotta.
"Mi dai un po' di Magicoccola?"
"No, caro. Io ti

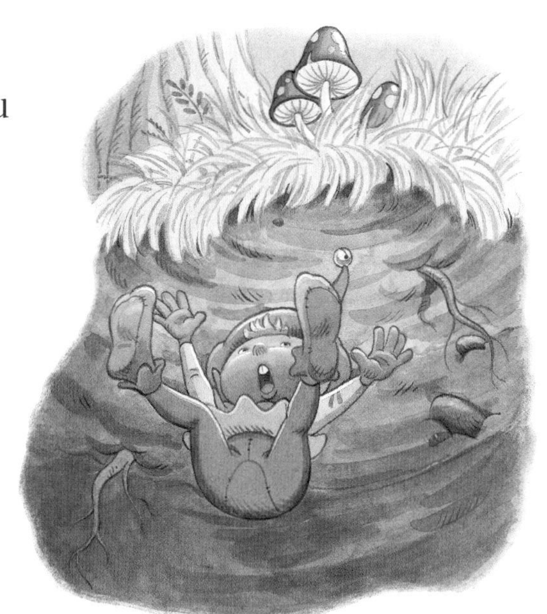

voglio bene e voglio che tu guarisca, quindi… niente Magicoccola!"
Bignè si arrabbiò e cominciò a far dispetti a tutti: bucò il sufflè di Castoro, rubò il cucchiaio di Lontra e spense il forno di Merlo.
Il folletto, però, scoprì che i suoi dispetti non servivano a nulla. Bignè era così arrabbiato e affamato che scappò nel fitto del bosco.
Stava camminando e brontolando, quando inciampò in un fungo e finì in una profondissima buca. Bignè rotolò e rotolò, finché… Bam! Sbatté la zucca sul fondo e si fermò.
Il folletto si massaggiò il bernoccolino che gli era spuntato sulla fronte e si alzò in piedi.
Davanti a lui c'era una lunga galleria illuminata qua e là da fiaccole appese alle pareti.
Il folletto iniziò a percorrerla, arrivò a una porticina e la aprì. Bignè fu subito invaso da un forte aroma di salame, prosciutto, formaggio. Capì subito che era in una dispensa. Così, al buio, pizzicò un po' di questo e

un po' di quello e si addormentò accoccolato su una forma di groviera. Mentre dormiva, sognò una voce che raccontava la storia di un drago prigioniero di Mago Gelo e di uno gnomo che voleva salvarlo. Ma a un tratto, la voce svanì. Bignè si svegliò tutto agitato e strillò: "Come va a finire? Devo saperlo, devo saperlo". Ma poi pensò: 'Come sono sciocco! Era un sogno, se voglio sapere come finisce, devo riaddormentarmi!'. E così fece.
Il mattino dopo si svegliò. Non aveva scoperto come finiva la storia, ma fece colazione e decise di perlustrare la casa per vedere a chi appartenesse quella magnifica dispensa. Stava percorrendo una lunga galleria, quando sentì la voce del sogno. Bignè si guardò intorno. Lontano, nel buio, c'era uno spiraglio di luce che usciva da una porta socchiusa.
Il folletto si avvicinò, sbirciò e vide Topino che disegnava e intanto parlava ad alta voce: raccontava qualcosa.

Ed era proprio la storia del sogno.
Bignè entrò e, senza far rumore, si appollaiò, in ascolto, su uno scaffale.
Topino continuò a parlare e a disegnare.
Era arrivato al punto in cui lo gnomo stava liberando il drago: “Ma ecco arrivare Mago Gelo…”.
Topino allora si alzò e impugnando la matita come una bacchetta magica gridò: “Gnomo, ti lancio una palla di neve che ti congelerà!”.
Poi saltò in piedi sulla sedia e disse: “Brutto Mago, non riuscirai mai a prendermi!”.
A quel punto Topino vide Bignè.

"Dai vieni a giocare. Tu fai il Mago".
"Ma io sono un folletto" rispose
Bignè.
"E i maghi non hanno la pancia tonda
come la tua. Ma facciamo solo finta,
no?!!» disse Topino.
"Va bene, ci provo" accettò Bignè, un po' offeso.
I due cominciarono a giocare. E continuarono a giocare
così a lungo che a Bignè sparì il pancino e non gli venne
più nemmeno voglia di Magicoccola!
Adesso il folletto è di nuovo agile e scattante, i suoi
amici avevano ragione! È bastato smettere di rimpinzarsi
per tornare ad essere il vecchio e simpatico Bignè. E grazie
alla loro attenzione e ai loro rimproveri adesso ha un nuovo
amico: Topino.
Ogni giorno, Topino insegna al folletto nuove storie e
Bignè, da parte sua, gli spiega come si fa a preparare dolci
squisiti (le ricette sono tutte di Marmotta Pasticciera)
e a fare scherzi divertenti, come tirare i baffi ai draghi o
nascondere gli specchi alle fate vanitose.
Ma, badate bene, sono scherzi e non dispetti, perché
sono due piccole birbe, è vero, ma in fondo vogliono solo
giocare!

La magia dell'amicizia

Coniglietta e Coniglietto erano grandi amici: lei era un tipetto molto vivace, lui era un vero patatone.
Coniglietto cadeva sempre, non quando faceva saltellini piccoli piccoli, ma quando cercava di fare quei bei saltoni che facevano tutti gli altri conigli... Bum!
Cadeva sempre sul sedere, tra le risate di tutti.
Con il passare del tempo, gli altri coniglietti cominciarono a prenderlo in giro e alla fine non vollero più giocare con lui.

Coniglietta prima
si arrabbiò, poi decise
che solo una magia
avrebbe potuto
risolvere la
situazione.
Così un giorno
andò nel fitto
del bosco a
cercare una fata
per chiederle
consiglio e aiuto.
Coniglietta saltellò
lungo un sentiero, poi
un altro, poi un altro ancora,
ma di fate nemmeno l'ombra. 
Non voleva arrendersi, ma ormai era
buio, aveva freddo, fame ed era stanchissima,
ma soprattutto non trovava più la via di casa.
Si sedette su un mucchietto di foglie e cominciò a piangere
e pianse così tanto che ai suoi piedi si formò un laghetto.
E stava ancora piangendo quando vide davanti a sé una
bellissima creatura con lunghissimi e splendenti capelli rossi.

Coniglietta spalancò gli occhi dallo stupore. “Chi sei?” chiese cercando di asciugarsi il musetto.
“Sono Rubino. Tu che cosa fai qui da sola nel cuore della notte?”
“Stavo cercando una fata ma mi sono persa”.
“Io sono una fata. Come posso aiutarti?”
Coniglietta le raccontò tutto si sé e del suo caro amico Coniglietto ma era così stanca che gli occhi le si chiudevano.
Il mattino seguente, Coniglietta si svegliò in un morbido e caldo lettino. Si alzò, uscì dalla stanza e si ritrovò in un meraviglioso giardino.
“Ben svegliata, amica mia!” la salutò Rubino. “Hai dormito bene?”
“Sì” rispose coniglietta.
“Bene, allora adesso ti indicherò la strada così potrai tornare dal tuo amico!”
“E tu non vieni a fare la magia su Coniglietto, per farlo saltare più in alto ed essere più agile?”
“Certo che verrò, ma non subito, ho alcune faccende da sbrigare, ti raggiungerò più tardi”.
Coniglietta non era molto soddisfatta, ma seguì le indicazioni di fata Rubino e in men che non si dica

si ritrovò fuori dal bosco, proprio nei pressi del ruscello. I coniglietti stavano facendo una gara. Chi avrebbe attraversato il ruscello da una riva all'altra saltando sui sassi e senza cadere in acqua, sarebbe stato il vincitore. Coniglietta per un po' li stette a guardare, ma poi non seppe resistere e si unì a loro. Com'era divertente saltare su un sasso e poi su un altro e poi su un altro ancora! Ma a un certo punto, Coniglietta atterrò malamente e si ferì un piedino: "Ahi, che male!".

Proprio quando si accorse che non riusciva a spiccare altri salti per raggiungere la riva, vide uscire dall'acqua un'enorme biscia e cominciò a gridare.

"Aiuto, aiuto! Una biscia, una biscia mi vuole mangiare!"
Allora tutti scapparono velocissimi a nascondersi tra i cespugli, tremando di paura.
Coniglietto invece non ci pensò due volte, partì e, Hop Hop Hop Hop, con salti lunghi e decisi raggiunse la sua amica, la prese in braccio e, Hop Hop Hop Hop, la portò a riva. Poi, tra lo stupore di tutti gli amici, si diresse verso il villaggio del bosco.
"Come ti senti Coniglietta? Adesso ti porto dal dottore, così potrà curarti la zampetta" disse Coniglietto.
La sua amica non riusciva a spiccicare parola, come aveva fatto Coniglietto a spiccare quei grandi balzi? Quando aveva imparato a muoversi con tanta agilità?
Finalmente, il medico visitò Coniglietta, la medicò con una pomata alle erbe e le prescrisse riposo assoluto per alcuni giorni. Niente corse e salti lungo il fiume!
La sera, nel suo lettino, Coniglietta ripensò ai fatti avvenuti durante il giorno.
"La fata Rubino deve aver fatto la sua magia, non ci sono dubbi! Adesso nessuno potrà più prendere in giro Coniglietto!" E si adddormentò felice.
Il giorno seguente, Coniglietta raggiunse al fiume i suoi amichetti.

Tutti stavano festeggiando Coniglietto e si stavano congratulando con lui per il coraggio dimostrato. Coniglietta si unì al coro e corse ad abbracciare il suo amico.
"Evviva! Evviva! La magia ha funzionato!" gridò felice e, Smack, scoccò un bacetto sul nasino del suo salvatore.
"Quale magia?" chiese Coniglietto arrossendo.
"La magia di fata Rubino!" disse Coniglietta orgogliosa, e iniziò a raccontare la sua avventura nel bosco.
All'improvviso un lampo di rosa illuminò il cielo.
"Eccomi, eccomi!" gridò la fata trafelata, arrivando in volo.
"Sono io la fata Rubino, ma, cara amica, le cose non sono andate proprio come le stai raccontando!"
"Cioè?" chiese Coniglietta dubbiosa.
"Ieri, purtroppo, ho fatto tardi. Stavo raggiungendo il fiume e dall'alto ho visto tutto: tu che eri in pericolo e i tuoi amici che fuggivano a nascondersi".
A questo punto tutti i coniglietti abbassarono gli occhi sulle proprie zampette.
"Ma poi ho visto Coniglietto che correva a salvarti e ti portava di corsa dal dottore".
"E la magia?" chiese Coniglietta.
"Non c'è stata nessuna magia, cara Coniglietta!

Ma, come hai visto tu stessa, a volte l'amicizia e l'altruismo funzionano molto meglio di una bacchetta magica!"
"Evviva, Coniglietto!" gridarono tutti quanti in coro, e da quel momento nessuno osò più prenderlo in giro!

Ci pensiamo noi!

Vi piace la neve? Ai coniglietti di ogni età piace tantissimo! Si divertono a fare le gare con gli slittini e i pupazzi di neve!
Ma, a parte la neve, l'inverno non è un granché per i coniglietti: l'aria diventa così fredda che non possono più uscire a giocare ogni volta che vogliono. Il naso diventa rosso e le orecchie rimangono dritte dritte e congelate, è meglio starsene in casa al calduccio. Ma la cosa più brutta dell'inverno è sicuramente il raffreddore!

Provate a chiederlo a Dottor Conilius, il medico della
Valle delle Carote! L'autunno non fa in tempo a finire
che già qualche coniglio lo chiama perché si è ammalato!
Per tutta la stagione corre di casa in casa a visitare conigli
di tutte le età, a prescrivere sciroppi e a consigliare
di restare chiusi in casa, al caldo.
Qualche tempo fa, rientrato in casa dopo una lunga e
faticosa giornata di visite, Dottor Conilius trovò i suoi
cinque coniglietti ammalati: chi aveva il raffreddore, chi

un po' di febbre, chi la tosse. Così, invece di riposarsi, dovette rimettersi al lavoro! Visitò con attenzione i suoi cuccioli e aiutò la moglie a preparare tutto il necessario per curarli.
Aveva appena messo a letto i cinque piccolini, con le coperte ben rimboccate e un sacco di coccole, che... Driiin! Driiin! Ricevette un'altra chiamata.
Appena Dottor Conilius alzò la cornetta, si sentì la voce allarmata di Papà Conigliotto che gridava: "Presto,

dottore, venga subito, abbiamo bisogno di lei!". Era davvero molto agitato. E sapete perché? Perché stavano per nascere i suoi nove coniglietti!
"Arrivo subito, non preoccupatevi!" lo tranquillizzò Dottor Conilius.
A dire il vero quella sera, con i suoi cuccioli a letto malati, avrebbe preferito restare a casa, ma sapeva bene che quella era una chiamata molto importante e che non c'era neanche un minuto da perdere!

Così il dottore, dopo aver dato un bacio ai figlioletti e alla moglie, prese la borsa con tutti i suoi strumenti, si mise cappotto e cappello e uscì di corsa: era molto stanco, ma Mamma Conigliotta aveva bisogno di lui!
Fuori faceva molto freddo: le montagne tutt'intorno erano coperte di neve e nella Valle delle Carote soffiava un vento gelido...
Per fortuna, giunto da Papà Conigliotto e da Mamma

Conigliotta, poté godersi tutto
il calore di una casa piena
di cuccioli appena nati!
Dopo essersi assicurato
che la mamma
e i piccoli
stessero bene,
si congratulò
con il papà
e salutò
la famiglia
felice.

"Ah, che notte speciale!" pensava
tra sé il dottore.
Ma, proprio in quel momento, iniziò a tossire, Cough!
Cough, e presto si rese conto di essersi preso un brutto
raffreddore.
Si aprì a fatica la strada attraverso tutta la neve che era
caduta giù nella nottata e appena rientrato in casa, si
infilò nel letto e, sfinito, si addormentò.
La mattina successiva Dottor Conilius si svegliò con
un gran febbrone mentre i suoi piccoli, già guariti, erano
tornati vivaci e pimpanti come sempre.

Uno di loro, ancora con la sciarpa
di lana intorno al musetto, gli si
avvicinò porgendogli la borsa
del ghiaccio.
"Senti come scotta la tua fronte,
papà! Tieni, ora questa serve a te"
gli disse. I coniglietti iniziarono subito a darsi da fare
intorno al papà: poverino, il giorno prima
li aveva curati con tanto amore e ora
era proprio lui a essersi ammalato!
I coniglietti decisero che avrebbero
ricambiato le sue fatiche e le sue
premure. Adesso sarebbero stati
loro a occuparsi di lui. Che coniglietti
gentili!

Uno gli preparava
la spremuta
d'arancia,
un altro
gli misurava
la febbre con
il termometro,
e un altro ancora

gli riempiva di sciroppo un cucchiaio! C'era perfino chi gli leggeva una storia da un grande libro di fiabe! Grazie alle premurose cure, all'allegria e all'affetto della sua famiglia, Dottor Conilius guarì molto in fretta.
E sai perché?
Perché al mondo non ci sono medicine migliori delle coccole e non solo per i piccoli, ma anche per i grandi.
Parola del Dottor Conilius!

La nanna di Piccolo Ghiro

"Oh, che disastro!" dice fra le lacrime Piccolo Ghiro, guardando la sua casa distrutta da un fulmine. Per fortuna, quando il temporale si è abbattuto sulla sua tana, lui era da suo cugino, dall'altra parte del bosco. Ma ora che ha freddo e ha tanto sonno… dove andrà? "Signora Coniglia, ha per caso un lettino per me?" chiede.

Ma la casa di Mamma Coniglia è piena di coniglietti: vorrebbero tanto ospitare Piccolo Ghiro, ma proprio non possono!
"Mi dispiace, Piccolo Ghiro, ma i miei coniglietti dormono anche in tre in un lettino" risponde Mamma Coniglia. "Non sapremmo proprio dove metterti! Perche non provi a chiedere ospitalità a Orso? Lui vive da solo in una grande caverna..."

Così, Piccolo Ghiro prende il suo cuscino, il suo lumino da notte e si incammina per il Bosco Magico alla ricerca della caverna di Orso.
'Gli orsi in inverno vanno in letargo' dice tra sé e sé Piccolo Ghiro. 'Chissà che calduccio ci sarà nella sua casetta'.
Ma quando finalmente raggiunge

la caverna, nel cuore del Bosco Magico, scopre
che invece... è molto fredda!
"Brrr..." trema Piccolo Ghiro.
"Mi dispiace, piccolino, ma questo non è un posto adatto
a te! Tu non hai una pelliccia spessa e calda come la mia!"
dice Orso che, nonostante tutto, si è buscato il raffreddore!

"Proverò a chiedere aiuto al Signor Castoro! Scusi, Signor Castoro… Scuuusi, Signooor Castooorooo! SCUSI, SIGNOR CASTORO!" grida Piccolo Ghiro per farsi sentire.

Ma il castoro non può sentirlo, è intento a lavorare. La sua casa, infatti, è anche un laboratorio di falegnameria pieno di progetti e lavori da realizzare.

Pum Pum, il rumore del martello è assordante.

'Che baccano!' pensa il ghiro. 'Qui sarebbe impossibile dormire!'

Gli amici del bosco sono molto generosi ma nessuno sembra in grado di poter ospitare il povero Piccolo Ghiro. Con il suo cuscino sotto al braccio, continua a cercare nel bosco, una dimora dove passare il freddo inverno.
'Chissà se Toporagno, nella sua casetta sottoterra, avrà un posticino per me...'
E così, raggiunta la tana di Toporagno, si affaccia all'apertura con il suo dolce faccione.
Che calduccio! Dentro ci sono un fuoco scoppiettante e un bel lettino morbido ma... il padrone di casa dove mai sarà?
"Toporagno? C'è nessunooo?" chiede timidamente Piccolo Ghiro.
E dopo pochi minuti, ecco spuntare un buffo musetto allungato.
"Ciao, Piccolo Ghiro, cosa fai qui a quest'ora? Non dovresti essere a nanna?" chiede Toporagno stupito.
"È proprio questo il punto, caro Toporagno! La mia casetta è stata distrutta da un fulmine e adesso cerco

un amico gentile che possa ospitarmi per tutto il mio letargo invernale".

"Amico, ti ospiterei volentieri" risponde Toporagno "ma come puoi ben vedere anche tu la mia tana è davvero troppo piccola per te!".

"Mi sa che hai ragione..." annuisce Piccolo Ghiro e in effetti il suo placido faccione neppure passa da quella stretta apertura!

Toporagno ha visto la delusione negli occhi del suo amico e così aggiunge: "Perché non provi a chiedere agli uccellini? Loro conoscono il bosco meglio di tutti e sapranno sicuramente aiutarti!".

Che bella idea! Piccolo Ghiro non ci aveva proprio pensato!

Corre fino al laghetto del bosco e chiede alle papere, ma i giunchi sono tutti occupati, non c'è spazio per lui!

Allora si avvicina alla quercia del vecchio

Gufo ma è così in alto! Dovete sapere che Piccolo Ghiro soffre di vertigini, gli piace molto dormire nei tronchi degli alberi ma devono essere vecchi tronchi abbattuti!
Il picchio, l'allodola, il fringuello e la cinciarella, nessuno sembra avere un lettino in più per il nostro amico.
Piccolo Ghiro è davvero sconsolato! Come farà ad andare in letargo quest'anno?
Infine incontra uno strano uccello dal becco lungo lungo.
"Signor Uccellino, puoi aiutarmi? Sono tanto stanco, sai dove posso trovare un lettino per fare la nanna?"
"Ma certo, lascia fare a me!" risponde Beccaccia sorridendo.
"Davvero?" la bocca di Piccolo Ghiro è tonda per la sorpresa, ormai aveva davvero perso le speranze!
"Tu aspettami qui, faccio un giro di ricognizione e vedrai che bel lettino riuscirò a trovarti!" e detto questo schizza via.

Passa un minuto, ne passano due… ma poi ecco Beccaccia di ritorno con un sorriso smagliante: “Missione compiuta! Vieni con me, Piccolo Ghiro. Il Signor Merlo ha appena traslocato e ha lasciato un nido vuoto… Insieme al Gufo lo abbiamo sistemato sul ramo più basso della Vecchia Quercia”.

“Evviva! Questo sì che è un lettino perfetto!” esclama entusiasta Piccolo Ghiro non appena vede il suo nuovo giaciglio. “Grazie Beccaccia, senza il tuo entusiasmo e il tuo interessamento a quest’ora starei morendo di freddo!”

“Ricorda, Piccolo Ghiro, gli amici devono sempre aiutarsi l’un l’altro” gli risponde dolcemente Beccaccia. “E poi questa caccia alla cuccia è stata davvero divertente!” e detto questo spicca il volo, salutando.

Piccolo Ghiro sistema il cuscino sotto alla testa, e si tira le coperte fin sopra al naso.

Frrrr Frrrr, sentite? Sta già russando.

Buonanotte, Piccolo Ghiro, sogni d’oro!

Il Sarto Magico

Trenta gradi sotto zero! Fa veramente troppo freddo nel Bosco Magico. E tutta questa neve!
“Siamo congelati!” si lamentano gli animali, bussando alla porta di Rocchetto, lo Gnomo Sarto. “Abbiamo bisogno di vestiti più caldi”.
“Ho finito tutta la stoffa!” risponde lo Gnomo.
“Come possiamo fare?”
Ma già gli è venuta un’idea.

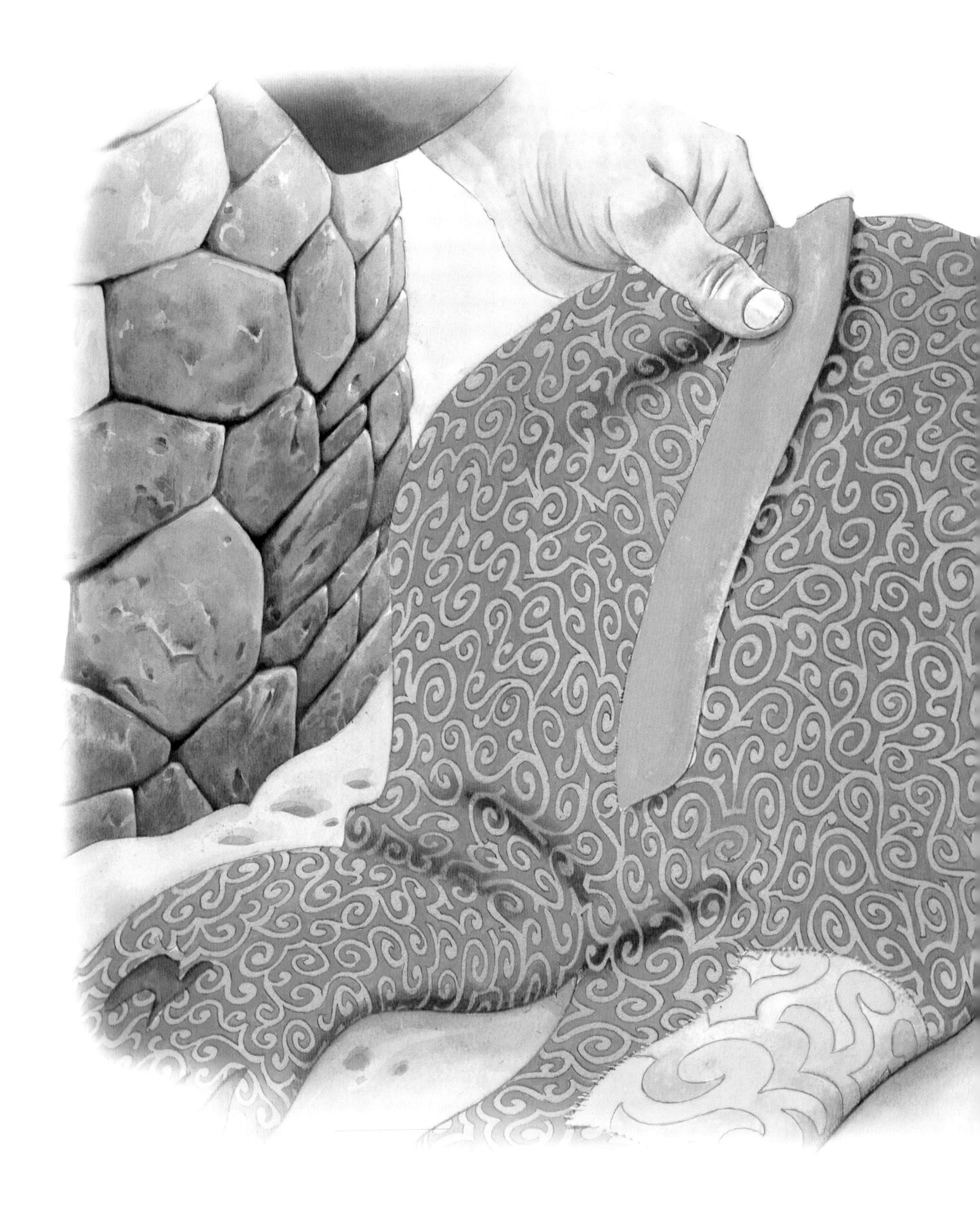

Rocchetto ha attraversato tutta la foresta con
la sua slitta ed è arrivato alla casa del Gigante: sa che è
sempre generoso con i suoi amici del Bosco Magico!
“Eccoti un mio vecchio paio di pantaloni!” risponde
pronto il Gigante alla richiesta di aiuto. “Sono un po’
ingrassato e mi sono diventati stretti!”
‘Che meraviglia!’ pensa lo Gnomo. ‘Qui
c’è stoffa per vestire un intero villaggio!

Speriamo di riuscire a trasportare questo tesoro
sulla mia slitta!'
Più tardi, nella sua bottega, Rocchetto taglia, imbastisce,
cuce, inventa nuovi modelli.
Topino e le Coccinelle lo aiutano, felici di stare al calduccio.
"Dunque, vediamo un po': una giacca per Volpe,
un cappuccio per Castoro, un cappotto per Lontra,
un cappellino a visiera per Ghiro, un completo elegante
per Scoiattolo... e per Ranocchietto un bel paio di stivali!"

Non c'è molta varietà di tessuti e colori, ma certamente nessuno, nel Bosco Magico, si lamenterà per questo!
Anche senza bacchetta magica, lo Gnomo Sarto è riuscito a fare un prodigio.
Come sono eleganti, e soprattutto caldi, i suoi vestiti!
Mamma Ghiro porta a casa una copertina per i suoi piccoli appena nati.

“Sei un mago davvero gentile, Rocchetto! La neve e la tormenta non ci fanno più paura!”
“Tornate a primavera, amici miei!” li saluta il bravo Gnomo. “È avanzata parecchia stoffa per i vestiti leggeri, e anche per i costumi da bagno!”

La fata Cristallo

Quanta neve quell'inverno!
I fiocchi erano scesi per giorni e giorni e ora un morbido e candido manto copriva tutto il bosco.
Tutti gli animaletti uscirono dalle loro tane: "Che bello! Possiamo giocare sulla neve!".
Gli uccellini si lanciavano fiocchi candidi, i coniglietti scivolavano sul lago ghiacciato e alcuni cuccioli come il Riccio e lo Scoiattolo decisero di costruire un grande pupazzo di neve.
Lo stavano decorando con foglie di quercia e ghiande, quando all'improvviso sentirono il rumore di mille vetri infranti e un acuto grido sottile: "Ahhh!".
Gli animaletti si spaventarono moltissimo e tutti insieme cercarono da dove provenissero quel rumore e quel suono.
Cerca e cerca, trovarono una bambina con un bel vestitino color smeraldo che piangeva sconsolata.
Poverina! Cosa mai poteva esserle sucesso? Timidamente le si fecero tutti intorno.
"Chi sei e perché piangi?" le chiese Tasso.
"Mi chiamo Cristallo e sono una fatina della neve".
"Una fatina?!!" esclamarono stupiti in coro gli animali del bosco.

“Piccola fatina, cosa ti è successo?” si intromise il Riccio.
“La mia sfera fatata è caduta e si è rotta” rispose Cristallo, indicando dei pezzi di vetro sparsi qua e là sul terreno.
“Adesso non potrò più fare le mie magie!”
Buuu! E scoppiò nuovamente in un mare di singhiozzi.

"Oh, povera fatina!" esclamarono allora tutti gli animali in coro. "Forza! Dobbiamo aiutarla!"
"Che ne dite, se portiamo i cristalli in frantumi al saggio Gnomo Mago?" disse il Coniglietto bianco. "Sono sicuro che lui potrà ripararli e far tornare la sfera come nuova!"
"Grazie, Coniglietto! Ma la sfera magica non può essere

riparata una volta rotta! Tutte le fate lo sanno, e io non sono stata attenta!" e buuuu, Cristallo tornò a piangere a dirotto.
"Io posso darti questa" disse timidamente Scoiattolo, porgendole una grossa nocciola. "L'ho conservata per tutto l'inverno ma puoi prenderla tu... Guarda se funziona!"
Cristallo, stupita, smise di piangere, prese la nocciola, la fissò e vide alti pini, noci, castagne e frutti di bosco.
"Io posso darti questa" disse Castoro porgendole una grossa perla. "Me l'ha portata mio cugino da un posto lontano lontano, pieno di palme e animali strani. Adesso voglio che la tenga tu".
Cristallo la prese tra le mani, la fissò e vide le profondità del mare, le alghe, i pesci e le sirene.
"E io posso darti questa" disse Topino porgendole una pallina dell'albero di Natale. "È l'unica che ho, ma te la regalo volentieri!"

Cristallo la prese tra le mani, la fissò e vide un grande abete decorato, regali e tanti dolci. Sentì delle risate allegre e una dolce musica che riempiva l'aria.
Cristallo fece un gran respiro e il suo viso si aprì in un bellissimo sorriso.
"Grazie, amici, per la vostra gentilezza! Oggi ho capito una cosa importante. Non ho più bisogno si una sfera di cristallo, perché la vera magia è quella che ognuno di noi ha dentro di sé! Grazie e Buon Natale!"
E detto questo la fatina si alzò in volo e prese a volteggiare sulla radura imbiancata: "Non ho più la sfera ma questo almeno posso farlo per voi! Addio, amici!".
Nel cielo si formò una scia di polvere di stelle che cadendo sulla neve si trasformò in dolcetti!
Caramelle, bon bon, stecche di liquirizia piovevano sugli animaletti del bosco.
Che meraviglia! Adesso era davvero Natale.
"Grazie Cristallo! Questa è una magia davvero

golosa!" gridarono in coro
gli animaletti felici.

Il Drago Raffreddato

C'è una gran puzza di bruciato, oggi, nel Bosco Magico. La misteriosa costruzione da cui escono fumo e fiamme è il Palazzo del Drago Lanciafiamme.
"Che cosa sarà successo al vecchio drago?" si domandano preoccupati gli animali del bosco.
La neve si è sciolta e tutto intorno tronchi e capanne sono inceneriti.
"Eeet... ciùùù!!!" una fiammata esce dalla finestra insieme a un fragoroso starnuto.

Ranocchia è corsa da Salus, lo gnomo infermiere: “Presto, preparami una pozione contro il raffreddore! Lanciafiamme sta male e i suoi starnuti sono pericolosi per tutta la foresta!”.

La damigiana di medicina che lo gnomo ha preparato nelle ultime settimane basterebbe a guarire tutti gli abitanti del bosco (tranne il Gigante,

naturalmente!). Per Lanciafiamme sarà appena sufficiente! Ma come si fa a dare una medicina a un drago? Per fortuna Salus è attrezzato per tutte le evenienze: quel grosso arnese (una via di mezzo tra un missile e una pompa di bicicletta) può sparare pozioni e medicine anche a grande distanza.
I due soccorritori si avviano con cautela al Palazzo. Dal portone bruciacchiato escono preoccupanti bagliori.
Il respiro pesante del drago raffreddato scuote tutta la foresta: "Roooonnn... Fiiiiiiii... Eeeeet... ... ciuuuùùùù!!!".
Lanciafiamme è veramente malconcio. Si è appena misurato la febbre: "98 gradi e mezzo, amici!" annuncia

con un filo di voce, soffiando una nuvoletta di fumo.
“Ormai non ho neanche più la forza di sputare fuoco!”
‘Meglio così!’ pensa Ranocchia che non ha nessuna voglia di vedere fiammate in questo momento.
“Però... fra poco ci sarà la Festa di Fine Inverno! Chi cuocerà le pizze per il picnic? Presto, Salus, spara la tua medicina!

E tu, Lanciafiamme, apri la bocca, da bravo!"
Il drago spalanca ubbidiente le mascelle e uno spruzzo di pozione lo centra diritto sulla lingua.
"Bah! Che schifezza!" protesta disgustato e si rimette sotto

le coperte. La pozione, però, è davvero efficace e nel giro di pochi giorni, Lanciafiamme recupera perfettamente le forze.
“Grazie amici, siete stati davvero gentili a prendervi cura di me. Come posso sdebitarmi?”
Be’, Lanciafiamme, un modo ci sarebbe...

Finalmente è tornato il sole nel Bosco Magico e tutti si sono riuniti nella radura per la Festa di Fine Inverno.
"Per me, una pizza ai quattro formaggi!" ordina il Topo Grigio.
"Per me, dodici pizze con il salamino piccante...
e che siano ben cotte!" brontola Lanciafiamme soffiando nel forno.

Adesso le sue fiamme risultano davvero utili.
Bravo Lanciafiamme e buon appetito amici del bosco!

Indice